Plant Room

kunstraum dornbirn

Verlag für moderne Kunst Nürnberg

Simon Starling

Dank / Our thanks go to

Martin Rauch für das Einbringen von wertvoller Erfahrung und fachkundigem Wissen um den Lehmbau und die Eigenschaften des Materials Lehm. Frank Gmeinder und Andreas Dünser (Fa. Axima) für die Entwicklung eines ausgeklügelten Klimasystems unter Verwendung des Dornbirner Brunnenwassers. Markus Lerch für seine Leidenschaft in Sachen Lehmbau und Lehmputz und deren Trockenlegung.
Martin Rauch for sharing his valuable experience and expert knowledge of mud brick construction and the material properties of clay. Frank Gmeinder and Andreas Dünser (Axima Co.) for developing an ingenious climatization system using Dornbirn well water. Markus Lerch for his enthusiasm for all things to do with clay construction and plastering and its drainage.

Sowie an / as well as

Tim Neuger und Elisa Marchini, neugerriemschneider, Berlin
Tim Neuger and Elisa Marchini, neugerriemschneider, Berlin

Dr. Dietmar Schenk, Universität der Künste Berlin, Universitätsarchiv für die Unterstützung des Projekts von Simon Starling durch die Leihgabe von acht Vintage Prints aus der Sammlung Karl Blossfeldt
Dr. Dietmar Schenk, Berlin University of the Arts, University Archive, for supporting the Simon Starling project with the loan of eight vintage prints from the Karl Blossfeldt Collection

Inhalt

Contents

Bärbel Vischer
Naturform – Skulptur – Kunstwerk – Maschine

Bärbel Vischer
Natural Form – Sculpture – Artwork – Machine

Ein konzeptueller Ansatz von Simon Starling für seine Installation im Kunstraum Dornbirn ist das Experiment, und so wurde der Ort der Ausstellung zum Testfeld einer Auslotung zwischen der Idee und der Funktion des Laboratoriums sowie klassischer institutioneller beziehungsweise musealer Präsentation. Bedingt durch die unregulierten klimatischen Voraussetzungen in der ehemaligen, für den Bau von Turbinen geplanten Montagehalle aus dem 19. Jahrhundert befindet sich die gegebene Ausstellungssituation in einem permanenten Zustand des Wandels und der Veränderung. Äußere Faktoren wie Licht, Temperatur und Luftfeuchtigkeit spielen in dem unter Denkmalschutz stehenden und in seinem Innenraum bewusst belassenen Gebäude ebenso eine Rolle wie die Besucher, das Ausstellungspublikum. Es handelt sich um Verhältnisse, die jeder Künstler, der hier ein Projekt plant, bedenken sollte. So war im Vorfeld der Ausstellung auch Starling in Dornbirn, um den Raum zu besichtigen. Die einzige Einschränkung, die vorgegeben wurde, war die Unmöglichkeit der Präsentation von Fotografie. Genau jene Restriktion war es, der Starling seine Aufmerksamkeit schenkte, und so trat das Paradoxon ein, dass Grenzen neue Möglichkeiten der Betrachtung eröffnen: Ein Problem impliziert gleichzeitig das Moment einer Lösung, und setzte in diesem Fall einen künstlerischen Prozess in Gang.

In seinem Werk untersucht Starling Gegenstände, Baukörper, Materialien und Konzepte hinsichtlich der Ästhetik einer bestimmten Zeit, gegebener Produktionsbedingungen sowie kultureller und politischer Hintergründe. Seine narrativ besetzten Skulpturen und Installationen beinhalten oft das Moment der Transformation. Der Künstler greift die potenzielle Wandelbarkeit von Objekten und zyklischen Strukturen auf, macht sie sich zu Eigen und denkt sie weiter, manchmal die Grenze zu fiktiv anmutenden Vorstellungen überschreitend. Starling macht verborgene Kreisläufe sichtbar und verweist auf ungewöhnliche Zusammenhänge in Geschichte, Geografie, Kunst und Gesellschaft. Ein Aspekt seiner künstlerischen Strategie ist es, Projekte in einen unmittelbaren, oft ortsspezifischen Kontext zu stellen und mit diesen Inhalten zu arbeiten.

Grundlegende Überlegungen zur Relation zwischen der Natur und der Moderne spiegeln sich in dem experimentellen, prozessual entwickelten Projekt *Plant Room* wider. Im Mittelpunkt steht eine exemplarische Auswahl von Fotografien von Karl Blossfeldt (1865–1932), der in der Geschichte der Fotografie als einer der bedeutendsten Vertreter der Neuen Sachlichkeit gilt. 1899 bis 1930 unterrichtete Blossfeldt „Modellieren nach lebenden Pflanzen" an der Unterrichts-

Simon Starling's conceptual objective for his installation at Kunstraum Dornbirn is the experiment, thus turning the exhibition site into a test field for sounding out the difference between the idea and the function of a laboratory as well as of a classical institutional or museal presentation, respectively. Subject to the unregulated climatic prerequisites in the Kunstraum's former 19th century assembly hall for the manufacture of turbines, the given exhibition situation takes place in a permanent state of transformation and change. External factors like light, temperature and humidity play a role in the listed building with its intentionally untouched interior just as much as do the visitors to the exhibition. These are factors that every artist who plans a project here has to consider. This means that Starling, in the run-up to his exhibition, also visited Dornbirn to examine the hall. The only restriction that was stipulated was the impossibility of presenting photography. This was precisely the restriction that sparked Starling's attention. Thus the paradox occurred that supposed boundary lines can open new possibilities of consideration: A problem simultaneously implies a solution and, in this case, set an artistic process in motion.

In his work, Starling studies objects, structural shells, materials and concepts as regards the esthetics of a certain era, the given production conditions, as well as the cultural and political backgrounds. His narrative-driven sculptures and installations often contain the motif of transformation. The artist takes over the potential transformability of objects and cyclical structures, makes them his own and proceeds from there, sometimes overstepping the boundary to fictional associations. Starling makes latent recurring cycles visible and highlights unusual correlations in history, geography, art and society. One aspect of his artistic strategy is to set projects in an immediate, often site-specific context and then work with the resulting thematic contents.

Fundamental thoughts on the relationship between nature and modernism are reflected in the experimental process used to develop the project *Plant Room*. On display at the center is an exemplary selection of photographs by Karl Blossfeldt (1865–1932), considered to be one of the most important representatives of the Neue Sachlichkeit or New Objectivity movement in the history of photography. From 1899 to 1930, Blossfeldt taught "modeling from living plants" in the educational department of Berlin's Museum of Applied Art, today the University of the Arts. Bronze models of plants and their details were produced, as well as plant specimens, all of which served as illustrative material for study. Even more significant are the photographs that were taken in the same period. Published in 1928 as *Urformen der Kunst* (Archetypes of Art), these reduced, analytical images at the crossroads between naturalism and the avant-garde became known in the art world almost overnight.[1]

anstalt des Kunstgewerbemuseums Berlin, heute die Universität der Künste. Es wurden Modelle aus Bronze von Pflanzen und Pflanzendetails sowie Pflanzenpräparate produziert, die als Anschauungsmaterial für Studien dienten. Noch signifikanter sind die gleichzeitig entstandenen Fotografien. Die reduzierten, analytischen Bildfindungen am Schnittpunkt zwischen Naturalismus und Avantgarde wurden in der Kunstwelt durch die 1928 erschienene Publikation *Urformen der Kunst* schlagartig bekannt.[1]

Starling, der in seiner Arbeit das Material, die Form und die Funktion von Dingen, Strukturen sowie Phänomenen durchleuchtet und sich seit den frühen 1990er Jahren zunehmend mit modernistischen Konzepten auseinandersetzt, betrachtet Blossfeldts Fotografien hinsichtlich der Herauslösung der Form und der konzeptuellen Darstellung der pflanzlichen Dingwelt. Blossfeldts Gesamtwerk dokumentiert ein Moment in der Geschichte der Kunst, als die Struktur von Pflanzen nicht nur in die ästhetische Gestaltung einbezogen wird, sondern formgebend auch in die Entwürfe von Architektur und Design einfließt. Seine Fotografien sind nicht als illustrative Abbildungen von Pflanzen zu verstehen, sondern entsprechen vielmehr tektonischen Modellen, die das Konzept ihrer Gegenständlichkeit transportieren.

Ausgehend von den klimatischen Bedingungen in der Ausstellungshalle des Kunstraum Dornbirn entwickelte Starling eine raumgreifende Installation. *Plant Room* bezeichnet im Englischen eine Maschinenkammer, wie sie in größeren Gebäuden zu finden ist. Im Kunstraum ähnelt er in seiner Funktion einem botanischen Gewächshaus. Allerdings ist der von Starling konzipierte Raum für die Präsentation von Blossfeldts Vintage Prints gedacht und entspricht den erforderlichen konservatorischen Bedingungen für die Fotografie des frühen 20. Jahrhunderts. Im Entwurf der Klimazelle, dem ein interdisziplinärer und kooperativer Arbeitsprozess vorausging, lotete Starling die formalen Beziehungen zwischen den ausgewählten fotografischen Sujets, der für eine natürliche Klimaregulierung erforderlichen Technologie und der in Zusammenhang damit entwickelten Lehmarchitektur aus. Der Baukörper, dessen Entwurf abstrahierend auf die Proportion und signifikante architektonische Gestaltungselemente sowie Teile der ursprünglichen Auststattung der Montagehalle eingeht, wurde gleichzeitig – als Ausgangspunkt – auf die funktionale Konstruktion reduziert und frei von spezifischen kulturellen Konnotationen gestaltet, die sich jedoch im Kontext zum kulturellen Umfeld des Betrachters als Projektionen einstellen. Gleichsam als poetische Revision entwickelte der Künstler ein in sich geschlossenes, mikrokosmisches System, einen sich selbst regulierenden Lebensraum für Blossfeldts Pflanzenwelt.

Als räumlicher Mittelpunkt der Ausstellungshalle wird der archaische, monolithe Baukörper, eine architektonische Urform

Starling – who in his work probes the material, the form and the function of things, of structures and of phenomena and has, since the early 1990s, been increasingly occupied with modernist concepts – looked at Blossfeldt's photographs as regards the extrication of the form and the conceptual depiction of the vegetal thing-world. Blossfeldt's entire oeuvre documents a moment in the history of art when the structure of plants was not only incorporated into aesthetically pleasing forms, but was also absorbed into the concepts of architecture and design. His photographs are not meant as illustrative images of plants, but correspond more to tectonic models that convey the concept of figurativeness.

Starling, starting from the climatic conditions in the exhibition hall at Kunstraum Dornbirn, went on to develop his installation. *Plant Room* is in English also the name for a machine room in large buildings and its function here is similar to a botanical greenhouse, however, one for the presentation of Blossfeldt's vintage prints in correspondence with the conservational guidelines of the early 20th century. Following the design of a climate cell, which was preceded by an interdisciplinary and cooperative work process, Starling brought together the formal relations between the chosen photographic subjects, the technology required for a natural climate regulation and the mud brick architecture that was developed in this context. The body of the structure, whose plan has an abstract impact on the proportion and significant architectural design elements as well as on parts of the original furnishings of the assembly hall, was – as the starting point – simultaneously reduced to its functional construction and was free from specific cultural connotations. These latter, however, the viewers recruit themselves as projections that accord with the context of their respective cultural environment. The artist has here developed an enclosed, microcosmic system as a poetic revision, so to speak, a self-regulating habitat for Blossfeldt's plant world.

At the exact center of the exhibition hall, the archaic, monolithic structure that reflects a primal architectural form becomes a meditative three-dimensional experience, whose interior offers us a constant show piece and its exterior a changing one. The monument made of loam designed by Starling is at the interface between sculpture and architecture, tradition and technology, function and reception, against the background of established models of presenting art – *Plant Room* versus White Cube.

The White Cube is primarily understood as an exhibition concept that presents art in neutral rooms so as to avoid any interaction between the architectural shell and the art object and to focus attention on the works on display. "A gallery is constructed along laws as rigorous as those for building a medieval church. The outside world must not come in, so windows are usually sealed off. Walls are painted white. The ceiling becomes the source of light," as Brian O'Doherty wrote 1976 in the American magazine *Artforum* that published his essays on the series *Inside the White Cube*.[2] As far as the discourse on the presentation of art goes, O'Doherty's

reflektierend, zum meditativen Raumerlebnis, das in seinem Innenraum ein konstantes und in seinem Außenraum ein changierendes Schaustück bietet. Das von Starling entworfene Monument aus Lehm bewegt sich an der Schnittstelle zwischen Skulptur und Architektur, Tradition und Technologie, Funktion und Rezeption vor dem Hintergrund etablierter Präsentationsmodelle von Kunst – *Plant Room* versus White Cube.

Unter White Cube versteht sich primär das Ausstellungskonzept, Kunst in neutralen Räumen zu präsentieren, um eine Interaktion zwischen architektonischer Hülle und Kunstobjekt zu vermeiden und die Wahrnehmung auf die gezeigten Exponate zu fokussieren. „Eine Galerie wird nach Gesetzen errichtet, die so streng sind wie diejenigen, die für eine mittelalterliche Kirche galten. Die äußere Welt darf nicht hereingelassen werden, deswegen werden die Fenster normalerweise verdunkelt. Die Wände sind weiß getüncht. Die Decke wird zur Lichtquelle", beschreibt Brian O'Doherty 1976 in der amerikanischen Kunstzeitschrift *Artforum*, die seine Essays zu der Serie *Inside the White Cube – In der weißen Zelle* herausgab.[2] Hinsichtlich des Diskurses über die Präsentation von Kunst ist der Text von O'Doherty bis heute aktuell; der White Cube gilt als konventionelle und meistgewählte Ausstellungsform.

Der Kunstraum Dornbirn mit seiner Ausstellungshalle in einer industriellen Architektur initiiert durch die Vorgabe eines nicht neutralen Raums und Orts situative, das heißt auf den Raum bezogene und gegebenenfalls sich im Kontext zu Aspekten des regionalen Umfelds bewegende Ausstellungen – ein Umstand, der Starlings interdependenten Arbeitsweise entgegenkommt. In seinem Projekt *Plant Room* untersuchte Starling zunächst die Bedingungen, unter denen die Präsentation von Kunst möglich ist, das Spannungsverhältnis zwischen dem fiktiven und realen Ausstellungsraum für Fotografie auslotend. Gleichzeitig greift er in der Entwicklung der skulpturalen Raumhülle die gegebene atmosphärische Spannung der monumentalen Halle auf.

Konzipiert wurde eine spezifische Zelle, ein Baukörper aus Lehm für die Präsentation der Fotografien von Blossfeldt. Das hierfür konstruierte Kettengewölbe entspricht der an die gewünschte Dimension der Architektur angepassten idealen Form eines Druckbogens und wurde durch eine in der Ausstellungshalle erprobten Kette ermittelt. Das Material Lehm, das zu den ältesten der europäischen und außereuropäischen Architekturgeschichte zählt, reguliert die Luftfeuchtigkeit, speichert Wärme, bindet Schadstoffe und ist vollständig recyclebar. Die klimaregulierenden Eigenschaften des natürlichen Materials unterstützend, trifft High-Tech auf Low-Tech, deren unterschiedliche Elemente und Gegensätzlichkeiten von Starling in der Installation bewusst sichtbar gemacht wurden. Das Gebäude selbst besteht ausschließlich aus Lehm, wobei im Außenbereich die sich wölbenden Ziegelwände roh belassen

essay is still applicable today; the White Cube is accepted as the conventional and most widespread exhibition form.

Kunstraum Dornbirn, with its exhibition hall within an industrial architecture and by its specification a non-neutral space and location, initiates situative exhibitions, i.e., ones that relate to and are necessarily involved in aspects of the local environs – a state of affairs that suits Starling's interdependent way of working just fine. In his project *Plant Room*, Starling at first studied the conditions within which the presentation of art is possible, probing the intense relationship between the fictive and the real exhibition room for photography. At the same time he took up the given atmospheric intensity of the monumental hall in his development of the sculptural shell, a room within a room.

A specific cell was conceived, a structure made of loam for presenting the photographs of Blossfeldt. The cantenary arch constructed for this corresponds to the ideal form of a compression curve adapted to the desired dimension of the architecture, a form tested in the exhibition hall by hanging a chain from the ceiling. Loam, which is one of the oldest building materials in the history of European and non-European architecture, regulates humidity, stores warmth, binds pollutants and is completely recyclable. Reinforcing the climate-regulating properties of the natural material, high-tech meets low-tech, whose differing elements and polarities Starling has deliberately made visible in the installation. The edifice itself is made exclusively of loam, whereby the arching brick walls have been left rough on the outside and smoothly plastered inside; the floor is of stamped earth. Into this mud brick architecture – which perfectly naturally provides for an optimal balance of 50% humidity – a hydronic system was integrated so that water, a natural and traditional resource of the region, is piped in that guarantees the optimal temperature of 18° to a maximum 22° Celsius. The energy for the entire system, including the artificial lighting for the photographs, is supplied by a fuel cell. At the core of this potentially revolutionary energy source, which itself is a project under development, are platinum metals, which function as catalysts for the reaction between hydrogen and oxygen and generate electricity as well as water as a byproduct. In this way the construction is made into a closed circuit structure, a self-sustaining "life support system" for Blossfeldt's photographs of 'technoid' nature, works that enter a formal and conceptual bond with the architecture.

For this project Simon Starling has researched the archives of the Berlin University of the Arts and chosen these photographs by Blossfeldt. His interest was aroused by less well-known prints and image details than the subjects that, beginning with the first publications from the 1920s up to the commercially marketed postcard editions known to the broad public, had become iconic media images as part of the reception history of Blossfeldt's work. The gelatin silver prints, arranged by Starling in pairs and surrounded by the organic architecture, allow visitors differentiated, individual and intimate viewing. By the means of an architectural stage-set, a

und im Innenraum glatt verputzt wurden; der Boden ist aus Stampflehm. In die Lehmarchitektur, die auf natürliche Weise für einen optimalen Ausgleich der Luftfeuchtigkeit von 50 Prozent sorgt, wurde ein Hydronic System integriert, um durch die Zuleitung von Wasser, eine natürliche und traditionelle Ressource der Region, die optimale Temperatur von 18 bis maximal 22° Celsius zu gewährleisten. Die Energie für das gesamte System einschließlich der künstlichen Beleuchtung der Fotografien liefert eine Brennstoffzelle. Im Kern dieser potenziell revolutionären Energiequelle, für sich ein Projekt im Entwicklungsstadium, sind Platin-Metalle integriert, die als Katalysator für die Reaktion zwischen Wasserstoff und Sauerstoff fungieren, elektrischen Strom und Wasser als Nebenprodukt erzeugend. Auf diese Weise wird der Raumkörper zu einer geschlossenen zyklischen Struktur, einem sich selbst erhaltenden „Life Support System" für Blossfeldts Abbildungen einer technoiden Natur, die formale und konzeptuelle Verbindungen mit der Architektur eingehen.

Für das Projekt recherchierte Simon Starling im Archiv der Universität der Künste Berlin und wählte die Fotografien von Blossfeldt aus. Sein Interesse richtete sich dabei eher auf weniger bekannte Abzüge und Bildausschnitte als auf jene Sujets, die einsetzend mit den ersten Publikationen ab den 1920er Jahren bis zu den in der breiten Öffentlichkeit bekannten, kommerziell vertriebenen Postkarteneditionen als Teil der Rezeptionsgeschichte von Bossfeldts Werk zu ikonenhaften Medienbildern geworden waren. Die von Starling paarweise angeordneten Gelatinesilberdrucke, umgeben von der organischen Architektur, erlauben eine differenzierte, individuelle und intime Betrachtung. Durch die inszenierte Architektur einer dreidimensionalen Kulisse, einer Maschine, betont Starling die Beschaffenheit und die Bedeutung der ausgestellten Objekte, die Konstruktionen von Natur reflektieren. Die begehbare Szenerie besteht aus einem Gehäuse und der Einrichtung für einen Ausstellungsraum inklusive der Beleuchtung und des Displays. Die Präsentation kleinerer, kostbarer Gegenstände, in diesem Fall handelt es sich um acht ausgesuchte Fotografien von Blossfeldt, die in einer neutralen, die Idee des White Cube aufgreifenden Pultvitrine gezeigt werden, basiert auf der Praxis der Kunst- und Wunderkammer der Renaissance.[3] Durch die Vitrine wird einerseits die museale Situation der Verfügbarkeit und gleichzeitig die Ausgrenzung der gezeigten Objekte hervorgehoben, andererseits wird durch die spezifische Gestaltung des Kabinetts und den damit zusätzlich evozierten Assoziationen zu Natur und Technik die Distanz zu den Exponaten gebrochen.

In der bildenden Kunst ist die Aufhebung von Bühnen- und Zuschauerraum, an der das Theater selbst arbeitet, gelungen.[4] Im Gegensatz zur konventionellen Ausstellung funktioniert der Raum einer künstlerischen Installation

three-dimensional backdrop and a machine, Starling highlights the character and the significance of the objects to show that themselves reflect the constructions of nature. The walk-in scenario is made up of an enclosure and the facility for an exhibition room including lighting and the display. The presentation of small, precious objects – here eight selected photographs by Blossfeldt shown in a neutral glass showcase that takes up the idea of the White Cube – is based on the practice of the curiosity cabinet and Kunstkammer of the Renaissance.[3] By means of the vitrine, the museal situation of the availability and the simultaneous exclusion of the objects in the case is underlined, on the one hand, while, on the other, the specific design of the chamber – its associations to nature and technology that it additionally evokes – breaks down the distance to the pieces on display.

In the fine arts, the elimination of the stage and the auditorium – the working area of a theater – has been a success.[4] Contrary to a conventional exhibition, the space in an art installation functions in a different way, as outlined by Boris Groys. "Here, the whole of the installation space is understood as a work of art – an art space." With Starling's *Plant Room* the viewer does not only "stand in front of the work of art, but enters it, positioning his body inside the art space which, from the very beginning, is declared to be the symbolical property of the artist." All the objects found in such a room become part and parcel of the artwork because they are in this room that itself is an art space. The difference between an artwork and a simple object loses its significance.[5] In the hands of Simon Starling, the photographs have become working material, yet without calling the authorship of Karl Blossfeldt in question. Starling regards the photographs as an ideal source and so reactivates Blossfeldt's original intention of a collection of models, now manifesting in a new interpretation.

1) Akademie der Künste Berlin (ed.), *Konstruktionen von Natur. Von Blossfeldt zur Virtualität*, Verlag der Kunst, Dresden 2001.

2) http://www.societyofcontrol.com/whitecube/insidewc.htm

3) Horst Bredekamp, *Antikensehnsucht und Maschinenglauben. Die Geschichte der Kunstkammer und die Zukunft der Kunstgeschichte*, Verlag Klaus Wagenbach, Berlin 2002.

4) Juliane Rebentisch, *Ästhetik der Installation*, Suhrkamp Verlag, Frankfurt am Main 2003, p. 21.

5) Boris Groys, *Museum in Medien – Medien im Museum. Museum in the Media – Media in the Museum*, Vienna: MAK 2008, p. 37.

differenziert, wie es Boris Groys skizziert: „Hier wird der ganze Raum der Installation als Kunstwerk verstanden – als Kunstraum." Bei Starlings *Plant Room* steht der Betrachter also nicht nur „vor einem Kunstwerk, sondern er geht um das Kunstwerk herum, er betritt das Kunstwerk, er platziert seinen Körper innerhalb eines Kunstraums, der von Anfang an zum symbolischen Eigentum des Künstlers [...] erklärt wird." Alle Gegenstände, die sich in einem solchen Raum befinden, werden zum Teil des Kunstwerks, weil sie in diesem Raum sind, der selbst ein Kunstraum ist. Der Unterschied zwischen Kunstwerk und einfachem Ding verliert an Bedeutung.[5] In den Händen von Starling werden die Fotografien zum Arbeitsmaterial, ohne dass jedoch die Autorenschaft von Karl Blossfeldt in Frage gestellt wird. Starling fasst die Fotografien als ideelle Vorlage auf und reaktiviert dadurch Blossfeldts ursprüngliche Intention der Vorbildersammlung, die sich nun in einer neuen Interpretation manifestiert.

1) Akademie der Künste Berlin (Hg.), *Konstruktionen von Natur. Von Blossfeldt zur Virtualität*, Verlag der Kunst, Dresden 2001.

2) Brian O'Doherty, „Die weiße Zelle und ihre Vorgänger", in Wolfgang Kemp (Hg.), *Inside the White Cube – In der weißen Zelle*, Berlin 1996, S. 10.

3) Horst Bredekamp, *Antikensehnsucht und Maschinenglauben. Die Geschichte der Kunstkammer und die Zukunft der Kunstgeschichte*, Verlag Klaus Wagenbach, Berlin 2002.

4) Juliane Rebentisch, *Ästhetik der Installation*, Suhrkamp Verlag, Frankfurt am Main 2003, S. 21.

5) Boris Groys, *Museum in Medien – Medien im Museum. Museum in the Media – Media in the Museum*, Ausstellungskatalog Österreichisches Museum für angewandte Kunst, Wien 2008, S. 16.

Bärbel Vischer
Studium der Kunstgeschichte und Architektur in Wien und Innsbruck / Studied Art History and Architecture in Vienna and Innsbruck; Ausstellungen / Exhibitions: 2004 PARAVENT: Luchezar Boyadjiev, Elisabeth Créseveur, Bernhard Fruehwirth, Aneta Grzeszykowska & Jan Smaga, Constantin Luser, Michaela Moscouw, Sofie Thorsen, Fatimah Tuggar, factory, Kunsthalle Krems, AT; 2005 MICHAELA MOSCOUW, Kunstraum Innsbruck (cat.), AT; 2006 WO WARST DU! ALL AMBRA: Abel Auer, Michael Conrads, Robert Elfgen, Hella Gerlach, Norbert Gmeindl, Volker Hüller, Franz Huemer, Dorota Jurczak, Armin Krämer, Malgorzata Neubart, Miriam Tölke, Kunstpavillon Innsbruck (cat.), AT; 2007 MICHEL BLAZY, Kunstraum Dornbirn (cat.), AT; FROM RUSSIA WITH LOVE: Viktor Alimpiev, Victoria Begalskaya, Olga Chernysheva, Anna Jermolaewa, Misha Le Jen, Anastasia Khoroshilova, Vlad Mamyshev-Monroe, Anatoly Osmolovsky, Where Dogs Run, Kunst Meran / Merano Arte (cat.), IT; FRANK O. GEHRY. Never Shown Tower Fragments, MAK, Wien, AT; 2008 FRANZ WEST. Sit On My Chair, Lay On My Bed, MAK, Wien, AT

WF 31798

LAING
AXIMA Kältetechnik

Ulrike Meyer Stump
Natur in Anführungszeichen: Simon Starlings *Plant Room* zitiert Karl Blossfeldt

Ulrike Meyer Stump
Nature in Quotation Marks: Simon Starling's *Plant Room* cites Karl Blossfeldt

Karl Blossfeldt (1865–1932) gehört zu den wichtigsten deutschen Fotografen der Zwischenkriegszeit. 1928 mit der Publikation seiner Pflanzenbilder im Bildband *Urformen der Kunst* entdeckt und berühmt geworden, wurde er – entgegen seinen eigenen Ideen als Bildhauer und Lehrer für Pflanzenmodellieren an der Kunstgewerbeschule Berlin – zum Vorläufer der neusachlichen Fotografie ernannt. Laszlo Moholy-Nagy zeigte die Aufnahmen 1929 im historischen Teil der bedeutenden *Film und Foto* Ausstellung in Stuttgart, zusammen mit Eugène Atgets Inventar der Stadt Paris, als wegweisend für die junge, internationale fotografische Avantgarde. Seither erscheinen Blossfeldts Vergrößerungen von Pflanzenteilen, die meist symmetrisch vor einem hellen, neutralen Hintergrund arrangiert und oft bis zur botanischen Unbestimmbarkeit präpariert sind, in Ausstellungen und Publikationen nicht als Vorlagen für den Ornamentikunterricht, sondern als Beispiele eines für die Moderne typischen, formalen Purismus. Dasselbe Interesse für die reine Form prägte wohl auch die Begeisterung für Blossfeldt am Bauhaus, wo die Fotografien 1929 ausgestellt wurden.

Ende des 20. Jahrhunderts veränderte sich die Rezeption von Blossfeldts Bildern durch die Gegenüberstellung mit zeitgenössischer Kunst.[1] Im Vergleich mit Bernd und Hilla Bechers anonymen Industriebildern wurden sie zu Vorläufern der Minimal Art erklärt, in ihrer strengen Wiederholung sogar als Vorwegnahme der Concept Art.[2] Endlos kommerzialisiert, in Katalogen von Einrichtungshäusern, als Poster und Postkarten, gehören Blossfeldts Fotografien zu den Ikonen eines Modernismus, der die Reduktion der Form als eine Erweiterung des Sehprozesses verstand. Dies betont Hildebrandt Gurlitt schon 1929 in seiner Besprechung von *Urformen der Kunst*: „Was der Apparat da aus der Natur herausholen konnte, ist überraschend; jedes Blatt ein Entzücken und ein frappantes optisches Erlebnis."[3] Und auch bei Walter Benjamin nimmt Blossfeldt Teil an der „großen Überprüfung des Wahrnehmungsinventars."[4]

Mit ihrer Musealisierung hat Blossfeldts Pflanzenmorphologie endgültig ihre Bedeutung als Anschauungsmaterial für den kunstgewerblichen Unterricht verloren und den Status von Kunst angenommen. Wie Brian O'Doherty es 1976 in seinem epochalen Essay *Inside the White Cube* erklärt, muss ein Ausstellungsobjekt im nüchternen, weißen Galerieraum zwangsweise in einen ästhetischen Diskurs eingereiht werden: „Die ideale Galerie hält vom Kunstwerk alle Hinweise fern, welche die Tatsache, dass es ‚Kunst' ist, stören könnten."[5] Und weiter: „Alles, was in diesem Raum erscheint, bewirkt,

Karl Blossfeldt (1865–1932) was one of the most important photographers of Weimar Germany. With the publication of his book of plant illustrations, *Urformen der Kunst* in 1928 (published in English as *Art Forms in Nature*, London and New York, 1929), he was discovered as precursor of New Objective photography, counter to his own self-perception as a sculptor and instructor of plant modeling at the Berlin School of Applied Arts. Laszlo Moholy-Nagy showed his prints in the historical section of the 1929 *Film und Foto* exhibition in Stuttgart, together with Eugène Atget's inventory of the city of Paris, as a landmark for young international avant-garde photography. Ever since, Blossfeldt's enlargements of plant details, which were symmetrically arranged against a light, neutral background and often prepared until botanically indefinable – have appeared in exhibitions and publications, not as models of lessons in ornamentation, but as examples of Modernism's typical formal purism. This interest in pure form will have also been responsible for the enthusiastic reception of Blossfeldt at the Bauhaus, where his photographs were exhibited in 1929.

At the end of the 20th century, the reception of Blossfeldt's pictures had changed, owing to their juxtaposition with contemporary art.[1] In comparison with Bernd and Hilla Becher's anonymous industrial photographs, they were declared to be forerunners to Minimal Art and, in their strict repetition, even an anticipation of Conceptual Art.[2] Endlessly commercialized in the catalogues of furniture stores and as posters and postcards, Blossfeldt's photographs are part of a Modernism which understands the reduction of form as an extension of the process of seeing. Hildebrandt Gurlitt had already stressed exactly this aspect in 1929 in his review of *Urformen der Kunst*: "What the camera can extract from nature is surprising; each leaf a delight and an amazing optical experience."[3] Walter Benjamin, too, sees Blossfeldt as sharing in the "great revision of our perceptual inventory."[4]

By means of its musealization, Blossfeldt's plant morphology has conclusively lost its significance as illustrative material for applied art education and taken on the status of art. As Brian O'Doherty explained in his 1976 epochal essay *Inside the White Cube*, an object exhibited in a neutral, white gallery room will inevitably join in an aesthetic discourse: "The ideal gallery subtracts from the artwork all cues that interfere with the fact that it is 'art'."[5] And further: "As a result, anything seen in that space involves a hitch in perception, a delay during which expectation – the spectator's idea of art – is projected and seen."[6] Blossfeldt's photographs, in analogy to the typologies of Bernd and Hilla Becher, have in addition often been mounted in grids or as a thematic row (Fig. 1).[7] The comparative view that is thus adopted has the seeing act itself

dass Wahrnehmung angehalten wird und dass bei dieser Verzögerung die ästhetischen Erwartungen des Betrachters projiziert und sichtbar werden."[6] Blossfeldts Fotografien werden hier, in Anlehnung an die Typologien von Bernd und Hilla Becher, zusätzlich oft im Raster oder als thematische Reihe gehängt (Abb. 1).[7] Der vergleichende Blick, der sich somit einstellt, hat das Sehen selbst zum Thema. Für O'Doherty ist dieser utopische Versuch, „das Sehen zu sehen", typisch für die Sechzigerjahre und die Minimal Art: „Das Sehen, so dachte man, könne von Traditionen und Konventionen befreit werden."[8]

Simon Starlings Präsentation von Blossfeldts fotografischen Aufnahmen im Lehmbau seines *Plant Room* ist von derjenigen im Kunstraum des White Cube weit entfernt. In eine Vitrine gelegt, wirken die Pflanzenbilder wie naturhistorische Präparate oder wissenschaftliches Anschauungsmaterial. Der Besucher zirkuliert um die Vitrine herum, und da die Bilder in zwei einander entgegengesetzten Reihen ausgestellt sind, kann er sie nicht in einem Blick erfassen, sondern muss sie einzeln studieren. Wenn Starlings Lehmkonstruktion auch Ähnlichkeiten mit einem Schrein hat, in dem im Allerheiligsten die Ikonen der Moderne aufbewahrt werden, sorgfältig klimatisiert und vor natürlichem Licht geschützt, so kommt im diffusen, kalten Licht einer Leuchtstoffröhre kein sakrales Gefühl auf. Eher wähnt man sich in einer archäologischen Fundstätte, in einer Höhle. Dabei werden Fragen aufgeworfen über die Beziehung von Natur und Kultur, die Blossfeldt in einem anderen Licht erscheinen lassen.

Tatsächlich reiht sich Starlings Blossfeldt-Präsentation in eine Serie von Ausstellungen ein, die seit einigen Jahren Traditionen und Konventionen aus Blossfeldts zeitgenössischem Umfeld heraufbeschwören.[9] Diese neue Tendenz geht einher mit der wissenschaftlichen Erforschung von Blossfeldts Leben und Werk.[10] 1999 zeigte eine Ausstellung der Akademie der Künste Berlin Blossfeldt als Pflanzenmodelleur, der im Auftrag seines Lehrers und Mentors Moritz Meurer in den 1890er Jahren Herbarien, Pflanzenmodelle und fotografische Aufnahmen herstellte. Sie sollten im Sinne einer Wiederbelebung des klassizistischen, rationellen Ornaments dem deutschen Kunsthandwerk Aufschwung verleihen, stießen aber auch im Kontext des Jugendstils auf Interesse. Diesem Auftrag folgte eine lebenslängliche Anstellung an der Kunstgewerbeschule Berlin, wo Blossfeldt seine Fotografien als pädagogisches Material einsetzen konnte (Abb. 2). Hier wurden seine Pflanzenmotive weiter vergrößert und in Lehm übersetzt, vielleicht nicht ganz zufällig ins selbe Material, das Starling für seinen *Plant Room* braucht. Die Ausstellung von 1999 brachte zum ersten Mal die große Sammlung an die Öffentlichkeit, die Blossfeldts Witwe 1932 der heutigen Universität der Künste schenkte.

2004 wurde eine Nachempfindung der Ausstellung von 1926, bei welcher Blossfeldts Pflanzenfotografien zum ersten

as theme. For O'Doherty this utopian attempt "to see seeing" is typical for the 1960s and Minimal Art which thought that "vision would then be able to circulate without the impediment of traditional conventions."[8]

Simon Starling's presentation of Blossfeldt's photographic prints in the loam structure of his *Plant Room* is far removed from an exhibit in a white cube art gallery. Laid out in a glass case, the plant images have the effect of natural history specimens or scientific visual material. The visitor circulates around the vitrine and, since the photographs are displayed in two rows opposite each other, he cannot take them all in at a glance but is forced to study them singly. If Starling's loam brick construction also has similarities to a shrine in which the icons of Modernism within a holy of holies are preserved, carefully climate-controlled and protected from natural light, no such feeling of reverence can arise in the present diffuse and cold light of a fluorescent tube. Rather the visitor imagines himself at an archeological site or in a cave. Thereby questions arise as to the relation of nature to culture, throwing a different light on Blossfeldt's work.

Indeed, Starling's Blossfeldt presentation is aligned with a series of exhibitions that, for several years now, have attempted to recall the traditions and conventions of Blossfeldt's contemporary environs.[9] This new tendency goes hand in hand with the academic research into Blossfeldt's life and oeuvre.[10] In 1999, an exhibition at the Academy of Arts in Berlin showed Blossfeldt as a clay modeler of plants, who in the 1890s was commissioned by his teacher and mentor Moritz Meurer to produce herbaria, plant models and photographic prints. The intention behind these objects was to lend support to a revival of the classicist, rational ornament and thus to improve German design, but in the context of Jugendstil also attracted interest. His commission was followed up by a livelong teaching position at the School of Applied Arts in Berlin, where Blossfeldt was able to use his photographs as educational material (Fig. 2). It was here that his plant motifs were further enlarged and translated into clay, perhaps not quite by chance the same material that Starling uses for his *Plant Room*. The 1999 exhibition first brought the large collection to public notice, a collection that Blossfeldt's widow had in 1932 donated to the institution known today as the Berlin University of the Arts.

Blossfeldt's plant photographs were shown in an art environment for the first time in 1926 at the Gallery Nierendorf in Berlin together with art from Africa and Oceania. A remake of this exhibition was on display at the 2004 Art Cologne entitled *Urformen der Kunst aus Pflanzenreich und fremden Welten* (originary forms of art from the vegetal realm and foreign worlds).[11] This exhibition brought 25 objects from the Cologne collection of the Rautenstrauch-Joest Museum together with Blossfeldt's photography without throwing any ethnographic light on the tribal art, even though the catalogue explained the origin and the original meaning of the sculptures. It was decidedly more a Blossfeldt exhibition in which the heterogeneously assembled 'primitive' sculptures were chosen

Mal in einer Kunstgalerie, der Galerie Nierendorf in Berlin, zusammen mit Kunst aus Afrika und Ozeanien gezeigt wurden, als *Urformen der Kunst aus Pflanzenreich und fremden Welten* an der Art Cologne präsentiert.[11] Die Ausstellung vereinte 25 Objekte aus der Sammlung des Kölner Rautenstrauch-Joest-Museums mit Fotografien von Blossfeldt, warf dabei allerdings keinen ethnographischen Blick auf die Stammeskunst, auch wenn im Katalog Herkunft und ursprüngliche Bedeutung der Skulpturen erklärt werden. Es handelte sich vielmehr um eine Blossfeldt-Ausstellung, bei der die äußerst heterogen, zusammengestellten „primitiven" Plastiken ausschließlich nach dem Kriterium der formalen Ähnlichkeit mit den fotografierten Motiven ausgewählt wurden (Abb. 3).[12]

Der Ausstellungskatalog führt in die historische Bedeutung dieses Vergleichs ein und reproduziert Gegenüberstellungen von Blossfeldts Fotografien mit Abbildungen von Bau- und Kunstwerken, die 1926 unter dem Titel *Grüne Architektur* in der Zeitschrift *Uhu* erschienen sind (Abb. 4).[13] Diese erklären die Natur zur Künstlerin und die Kunst zum Abbild der Natur. Blossfeldts Fotografien dienten in den späten Zwanzigerjahren diesem Analogiebestreben in unzähligen Publikationen, die zum einen das ehrfürchtige Staunen über den Einfallsreichtum der Natur äußern, zum anderen aber auch dem Menschen die Fähigkeit, schöpferisch tätig zu sein, absprechen. Tillmann Schmitz formuliert in seinem Artikel *Architektur der Pflanze* von 1926 diese Verwandtschaft von Mensch und Natur: „Mensch und Pflanze sind nicht Gegensätze, nicht Feinde. [...] Im Keim des Rittersporns ruht die Grazie der Tänzerin, in der Kapsel des roten Mohns die himmelstürmende Kraft der Peters-Kuppel. Im Schwung der Tänzerin, im Geiste Michelangelos wirkte das gleiche Leben, wie es täglich offenbar wird im Leben der kleinen Pflanzen."[14] In der generellen Begeisterung für die Großartigkeit der Natur geht unter, dass damit der künstlerischen Leistung Michelangelos vielleicht nicht gerecht wird.

Diese kunsthistorische Analogie-Diskussion griff die Ausstellung *Die Wunder der Natur. Romanische Kapitelle, Alte Pflanzenbücher, Blossfeldts Fotografien* von 2005 in Oberhausen noch einmal auf.[15] Hier wurde auf eine kritische Reflexion und historische Einordnung dieser Analogie-Behauptung verzichtet. Kunst-, Natur- und Religionsgeschichte wurden bemüht, um eine Alchemistenweisheit des 16. Jahrhunderts zu illustrieren: „In verbis, in herbis et in lapidibus est deus" (in Worten, in Kräutern und in Steinen ist Gott).[16] Dieser Ausspruch hätte ebenso gut vom Naturforscher Ernst Haeckel stammen können, der die monistische Weltanschauung um 1900 begründete und aufgrund seines Interesses an den Kunstformen der Natur oft mit Blossfeldt in Verbindung gebracht wird.[17] Der formale Vergleich zwischen dem Handwerk mittelalterlicher Steinmetzen, Herbarien aus der Zeit der Aufklärung und Blossfeldts Fotografien ist aber nur dank

exclusively for their formal resemblance to the motifs in the photographs (Fig. 3).[12]

The exhibition catalogue introduces the historical significance of this comparison and reproduces the confrontation of Blossfeldt's photographs with photographs of architecture and artworks that in 1926 were published under the title *Grüne Architektur* (green architecture) in the magazine *Uhu* (Fig. 4).[13] These declare nature to be an artist and art to be a copy of nature. In the late 1920s, Blossfeldt's photographs served this search for an art-nature analogy in countless publications that, on the one hand, expressed awe at the resourcefulness of nature but, on the other, also denied man the capability of being creatively active. Tillmann Schmitz formulates in his 1926 article *Architektur der Pflanze* (architecture of the plant) the kinship between man and nature: "Man and plant are not opposites, not enemies. [...] In the larkspur's kernel lies the gracefulness of the dancer, in the red poppy's capsule, the sky-storming force of St. Peter's dome. With the impetus of the dancer, in the spirit of Michelangelo, the same life throbs as in the life of the small plant."[14] However, in the general enthusiasm for the grandness of nature, Michelangelo's artistic achievement is hardly adequately appreciated.

The discussion on this art-historical analogy was taken up once again in the exhibit *Die Wunder der Natur. Romanische Kapitelle, Alte Pflanzenbücher, Blossfeldts Fotografien* in Oberhausen in 2005.[15] A critical reflection on, and a historical categorization of, this analogy claim were foresworn here. The history of art, nature and religion was called on to illustrate an alchemist saying from the 16th century: "In verbis, in herbis et in lapidibus est deus" (in words, in herbs and in stones is God).[16] This dictum could just as well have come from the natural scientist Ernst Haeckel, who founded the monist movement and world view around 1900 and, because of his interest in nature's art forms, is often associated with Blossfeldt.[17] The formal comparison between the handicraft of medieval stonemasonry, herbaria from the Enlightenment and Blossfeldt's photographs is, however, only possible thanks to photographic reproduction in the "imaginary museum" of the catalogue, which projects the objects and the few things they have in common onto a plane, not only bringing them together in one place, but also adjusting the scale (Fig. 5).[18]

What is really interesting in these kinds of superficial, formal encounters is not the similarity of the motifs, but the obvious difference in the treatment of the subject, a difference that is not only determined by cultural history but also by media theory. In Weimar Germany the latter evades even progressive thinkers like the art historian Julius Meier-Graefe, who confronted such analogies with extreme criticism: "All zones and all times have their say, up to the mugs of exotic idols out of carved wood extracted from the shoots of an American horse chestnut. A single epoch is missing in this botanical garden: ours."[19] Today we would add that the contemporaneity lies not in the motif, but in the chosen medium, photography.

der fotografischen Reproduktion im „imaginären Museum" des Katalogs möglich, der die Objekte und ihre wenigen Gemeinsamkeiten auf eine Fläche projiziert und so nicht nur örtlich zusammenbringt, sondern auch maßstäblich angleicht (Abb. 5).[18]

Wirklich interessant erscheint bei dieser Art von oberflächlichen, formalen Begegnungen nicht die Ähnlichkeit des Motivs, sondern der offensichtliche Unterschied in der Behandlung des Themas, ein Unterschied der nicht nur kulturgeschichtlich, sondern auch medientheoretisch bedingt ist. Letzteres entgeht in der Zwischenkriegszeit selbst progressiven Denkern, wie dem Kunsthistoriker Julius Meier-Graefe, der den Analogien äußerst kritisch begegnet: „Alle Zonen, alle Zeiten kommen zu Wort bis zu den Fratzen exotischer Götzen aus geschnitztem Holz, die man den Sprossen einer amerikanischen Rosskastanie entnimmt. Eine einzige Epoche fehlt in dieser Botanik: die unsere."[19] Heute würde man ergänzen, dass seine Epoche eben nicht im Motiv, sondern im gewählten Medium, der Fotografie, zu suchen sei.

Als fortschrittlicher Kunstkritiker kann sich Meier-Graefe auch nicht mit der Vorstellung einer von der Natur inspirierten Baukunst anfreunden: „Diese botanischen Bilder hätten einer auf Natur gestellten Ornamentik unabsehbare Dienste leisten können. Sie kommen um hundert oder zweihundert Jahre zu spät. Was sollen moderne Architekten, wie Mendelsohn, damit anfangen?"[20] Nachdem das Ornament von Adolf Loos zum Verbrechen erklärt und vom Deutschen Werkbund als überholt abgeschafft worden war, hatte Blossfeldts Unterrichtsfach Pflanzenmodellieren tatsächlich ausgedient und wurde auch an der Kunstgewerbeschule in den Zwanzigerjahren nur noch selten besucht.[21] Anhänger der modernen Baukunst konnten aber trotz allem bei Blossfeldt fündig werden, so Peter Meyer in der Zeitschrift des Schweizer Werkbunds, der 1932 glaubt, dank Blossfeldt einen freieren Blick für die Naturformen gewonnen zu haben, ohne dass er sich verpflichtet fühle, sie sogleich zu „verkunstgewerbeln" (sic!): „Da nicht die ganze Pflanze, sondern nur einzelne Teile abgebildet werden, tritt der Eindruck des Organischen, der an der Ganzheit der Pflanze haftet, stark zurück, während der Eindruck des Funktionellen, oft fast Maschinellen des in Natur winzigen Einzelteils sehr stark in den Vordergrund rückt."[22]

Diese erstaunliche Analogiebildung zwischen Pflanze und Maschine erfährt heute ebenfalls eine Wiederbelebung. Die Ausstellung *Prototypen. Bionik und der Blick auf die Natur* in Berlin von 2008 zeigt Blossfeldts Fotografien im Themenbereich Statik als Beweis für die Verwandtschaft der Technik mit der Natur.[23] Während sich die Bionik erst seit den Sechzigerjahren als systematische Wissenschaftsdisziplin mit der technischen Umsetzung biologischer Systeme befasst, ist der Gedanke, aus der Natur auch Technisches zu lernen, schon in der Zwischenkriegszeit aktuell. Raoul Francé, zum Beispiel,

As a progressive art critic, Meier-Graefe, too, cannot reconcile himself to the idea of an architecture inspired by nature: "These plant images might have rendered an incalculable service to a botanical ornamentation. They have come some one or two hundred years too late. What use are they to modern architects like Mendelsohn?"[20] After the ornament was declared to be a crime by Adolf Loos and the Deutsche Werkbund gave it up as out-of-date, the course Blossfeldt taught in modeling plants had in fact outlived its usefulness and in the 1920s was only sparsely attended at the School of Applied Arts.[21] However, advocates of modern architecture could, despite everything, still make discoveries in Blossfeldt. Thus Peter Meyer in the magazine of the Schweizer Werkbund believed in 1932 that, thanks to Blossfeldt, he had gained a freer view of natural forms without feeling immediately obliged to "apply-art" them: "Since it is not the whole plant, but only single parts that are pictured, the impression of the organic – which adheres to the plant in its entirety – is very decidedly backgrounded, while the impression of the functional, often almost the mechanical, of nature's tiny details are very much foregrounded."[22]

This astonishing analogy between plant and machine is likewise experiencing a renaissance. The 2008 exhibition *Prototypes. Bionik und der Blick auf die Natur* in Berlin shows Blossfeldt's photographs within the field of statics as evidence of the kinship between technology and nature.[23] While bionics was not till the 1960s occupied as a systematic scientific discipline with the technical conversion of biological systems, the idea that something technical could also be learned from nature had already been current in the years between the wars. Raoul Francé, for instance, in 1920 in *Die Pflanze als Erfinder* (the plant as inventor) called nature a "museum of biotechnology".[24] He follows here a similar monism to Haeckel's, but shows a technical, not an aesthetic interest in nature and its laws (Fig. 6). This association between an enthusiasm for technology and a romantic closeness to nature is described by Jeffrey Herf in his study on reactionary Modernism as a lethal mixture that in the 1930s allowed an anti-modern, irrational and romantic German nationalism to be reconciled with a highly developed military technology.[25] In this way the analogy is given an additional political connotation.

Starling – himself a trained photographer and thus also interested in Blossfeldt – does not simply present the nature/culture discourse one more time, but takes up the subject in order to link it to today's current themes: the musealization of art, the valuation of the vintage print, ecology in architecture, etc. He also does not cite Blossfeldt like the American artist Sherrie Levine, who in a 1990 feminist act of revolt, copied Blossfeldt (as well as Walker Evans and Edward Weston) and signed her copy "After K.B." Starling puts vintage prints on show for which he had to sign a proper loan contract.[26] The artist acts as a curator, even as an architect. In an absurd, labor-intensive gesture, he has accepted an impossible task, namely to show valuable, historic photographs in a non-climatized,

bezeichnet 1920 in *Die Pflanze als Erfinder* die Natur als „Museum der Biotechnik".[24] Er verfolgt dabei einen ähnlichen Monismus wie Haeckel, zeigt aber ein technisches, nicht ein ästhetisches Interesse an der Natur und ihren Gesetzen (Abb. 6). Diese Verbindung von Technikbegeisterung und romantischer Naturverbundenheit beschreibt Jeffrey Herf in seiner Studie über den reaktionären Modernismus als fatale Mischung, die es in den Dreißigerjahren erlaubte, einen antimodernen, irrationalen und romantischen Deutschen Nationalismus mit einer hoch entwickelten Kriegstechnologie zu versöhnen.[25] Die Analogiebildung erhält so zusätzlich eine politische Konnotation.

Starling, selbst ausgebildeter Fotograf und auch darum an Blossfeldt interessiert, präsentiert nicht einfach den Natur/Kultur-Diskurs noch einmal, sondern greift das Thema auf, um es mit heute aktuellen Themen zu verbinden: Musealisierung von Kunst, Wertung des Vintage Print, Ökologie in der Architektur usw. Er zitiert Blossfeldt auch nicht wie die amerikanische Künstlerin Sherrie Levine, die 1990 Blossfeldt, wie Walker Evans und Edward Weston, in einem feministischen Akt der Revolte kopiert und mit „After K.B." signiert. Bei Starling werden Vintage Prints gezeigt, für die ein ordentlicher Leihvertrag besteht.[26] Der Künstler tritt als Kurator, ja sogar als Architekt auf. Er nimmt sich als Aufgabe, in einer absurd anmutenden, aufwendigen Geste Unmögliches möglich zu machen, nämlich wertvolle, historische Fotografien in einer unklimatisierten ehemaligen Industriehalle zu zeigen, und dies, dank ausgeklügelter Verbindung von modernster Technik mit traditionellen Bauformen, in einem in sich geschlossenen System. Laut Blossfeldt „baut die Pflanze und formt nach Logik der Zweckmäßigkeit, und [...] bringt alles in künstlerische Form."[27] Starling übersetzt dieses Interesse an der organischen Formbildung, indem er die Lehmziegel des *Plant Room* die Form der Konstruktion bestimmen lässt. Hier erinnert er natürlich an die Materialgerechtigkeit der Moderne. Nur handelte es sich damals um die Anwendung neuer Baustoffe (Beton, Glas, Stahl), bei Starling ist es ein Rückgriff auf ursprüngliches Material.[28]

In seiner Auswahl von acht Bildern zeigt Starling „Klassiker" wie die Rosetten- und die Knospenformen, aber auch Ungewohntes, wie den Schachtelhalm, der noch Wurzeln aufweist. Auch auf Blossfeldts Kontaktabzügen sind hier und dort noch Wurzeln zu sehen. Diese hat Blossfeldt bei der Auswahl der Bildausschnitte für *Urformen der Kunst* sorgfältig entfernt, was von einem Kritiker, der die Künstlichkeit der Darstellung bemängelte, kritisiert wurde: „zufällige Ähnlichkeit (der noch hier und da durch Zurechtstutzen nachgeholfen wird) zwischen Natur- und Kunstformen bedeutet noch lange keinen inneren Zusammenhang [...] in der Natur hat das Pflänzchen noch Wurzeln."[29] In Starlings Wahl des untypischen Schachtelhalms haben wir es also weniger mit einer Kunst-, als mit einer

former industrial hall. Starling does so, thanks to a clever link between the most modern technology and traditional building forms, in an enclosed system. In keeping with Blossfeldt "the plant builds and forms according to the logic of effectiveness, and [...] converts everything into an art form."[27] Starling translates this interest in organic construction by letting the *Plant Room's* loam bricks determine the form of his building. In this way he recalls Modernism's truth to material. Except at the time it was the application of new building methods (concrete, glass, steel); with Starling it is a recourse to archetypal material.[28]

In his choice of eight photographs, Starling shows 'classical' ones such as the rosette and bud forms, but also unusual ones such as the horsetail with its roots. On Blossfeldt's contact prints, roots can be seen from time to time. For his selection of photographs for *Urformen der Kunst*, Blossfeldt carefully removed these, the artificiality of which was criticized by one reviewer: "chance similarity (which has here and there been helped along by cropping) between nature and art forms is far from proving there is an inner connection [...] the plant in nature still has roots."[29] In Starling's choice of the untypical horsetail, we are therefore dealing less with an art form than with a natural form. The French Surrealist, Georges Bataille, also noticed the absence of the plant's substructure. He described his fascination with roots in an essay, which he illustrated with Blossfeldt's (actually rootless) pictures: "Roots, in fact, represent the perfect counterpart to the visible parts of a plant. While the visible parts are nobly elevated, the ignoble and sticky roots wallow in the ground, loving rottenness just as leaves love light."[30] Indeed, Blossfeldt's photographs mostly show only the architecturally representative part, not the 'in-house' technique of the plant. Starling, on the other hand, not only insinuates this part semantically ("plant room" is a machine or house technology room), but lays the technical installations in his *Plant Room* bare. Amusingly, the cooling water tubes that wriggle their way out of the lower loam walls, lend the edifice the look of a living organism – with roots or squiggly beetle legs.

As the *Plant Room* is quite literally a "room for plants" but can also be a greenhouse or winter garden, air conditioning or machine room, so Blossfeldt's plants can be read as living vegetation, art forms or machine models. What is important to us today is not the monist promise of a redeeming harmony between nature- and man-made work, but the mechanism that, from a factual, photographic depiction, allows a highly ambiguous artificial construct to emerge. Of great importance in this process is the space in which the photographs are exhibited. O'Doherty calls the gallery room a "cell", in which art highlights its "artificiality within the artificial": "To insert art into a gallery or case puts the art in 'quotation marks'. What is now called the support system [...] is becoming transparent."[31] Starling's installation art does just this: it encloses Blossfeldt within quotation marks and with this quote points to the support system, to the exhibition as medium, to the site of the Kunstraum that in Dornbirn is juxtaposed to its immediate neighbor, an interactive Museum of Natural History.

Naturform zu tun. Auch der französische Surrealist Georges Bataille hat die Abwesenheit des Unterbaus der Pflanze bemerkt. Er schildert seine Faszination für das Wurzelwerk in einem Essay, das er mit Blossfeldts (allerdings wurzellosen) Bildern illustriert: „Die Wurzeln stellen nämlich das vollkommene Gegenstück zu den sichtbaren Partien der Pflanze dar. Während diese sich vornehm aufrichten, wälzen sich jene schändlich und klebrig im Inneren der Erde, in die Fäulnis verliebt wie die Blätter ins Licht."[30] Tatsächlich zeigen Blossfeldts Lichtbilder meist nur den architektonisch repräsentativen Teil, nicht aber die „Haustechnik" der Pflanze. Starling hingegen deutet diesen Teil nicht nur sprachlich an („plant room" heißt auf Englisch auch Haustechnik- oder Maschinenraum), sondern legt die technischen Installationen seines *Plant Room* frei. Amüsanterweise verleihen die Kühlwasserschläuche, die sich unten aus den Lehmwänden herauswinden, dem Gebäude den Anschein eines lebendigen Organismus – mit Wurzeln oder krabbelnden Käferbeinen.

Wie der *Plant Room* im Englischen ganz buchstäblich ein „Raum für Pflanzen" ist, genauso aber auch ein Gewächshaus oder einen Wintergarten, Haustechnik- oder Maschinenraum bezeichnen kann, werden Blossfeldts Pflanzen als lebendige Gewächse, Kunstgebilde und Maschinenmodelle gelesen. Bedeutend für uns heute ist dabei nicht das monistische Heilsversprechen einer erlösenden Übereinstimmung zwischen Natur- und Menschenwerk, sondern der Mechanismus, der aus der sachlichen, fotografischen Darstellung ein höchst mehrdeutiges, künstliches Gebilde entstehen lässt. Dabei ist der Auftrittsort der Bilder von großer Wichtigkeit. O'Doherty bezeichnet den Galerieraum als „Zelle", in der Kunst ihre „Künstlichkeit im Kontext des Künstlichen" hervorhebt: „Wenn man Kunst in eine Galerie oder in eine Vitrine stellt, dann stellt man sie in Anführungszeichen. […] Es wird transparent gemacht, was man heute das Support System nennt."[31] Starlings Raum-Kunst tut gerade dies: Sie setzt Blossfeldt in Anführungszeichen und verweist mit diesem Zitat auf die Bedeutung des Support Systems, auf das Medium Ausstellung, auf den Ort des Kunstraums, der in Dornbirn Nachbar der inatura-Erlebnis Naturschau ist.

Die Vitrine im *Plant Room* im Kunstraum erscheint gleichsam als ein dreifaches Support System, in welchem Blossfeldts Fotografien bei jeder Verschiebung an zusätzlichen Referenzen gewinnen. Diese bestimmen die Rezeption der Pflanzenbilder mit. Roland Barthes forderte schon 1971 auf, vom traditionellen Autor-orientierten Werkbegriff abzulassen zu Gunsten eines (später auch postmodern genannten) Leser-orientientierten Textbegriffs, der als Gewebe von Assoziationen zu verstehen ist und sich als Metapher für visuelle Medien eignet. Er betont dabei die wichtige Rolle solcher Assoziationen in der Konstruktion von Bedeutung: „Die Lektüre [eines Texts bzw., in unserem Fall eines Bildes] ist stets Einzelfall […] und doch durch und durch mit Zitaten, Verweisen und Echos durchsetzt: mit kulturellen Spra-

The vitrine in the *Plant Room* in the Kunstraum is at once a threefold support system in which Blossfeldt's photographs benefit from every shift in additional references. These codetermine the reception of the plant pictures. As early as 1971 Roland Barthes suggested that we refrain from the traditional author-oriented work concept in favor of a (later also called postmodern) reader-oriented text concept that is understood as a web of associations and is suitable as a metaphor for the visual media. He stressed here the important role of such associations in the construction of meaning: "The reading […] of the text [or in our case, of the image] is unique […] and nevertheless entirely interwoven with citations, references, echoes, cultural languages (what language is not?), antecedent or contemporary, which cut across it through and through in a vast stereophony."[32] The citations are, as Barthes writes, not the sources of the text, not the origin, but they are "anonymous, untraceable, and yet *always already read*: they are quotations without quotes."[33] Starling's *Plant Room* may in this sense be an ecosystem, a greenhouse, a machine or an exhibition room, a shrine or a sculpture – it is primarily a discursive space in which all the above reverberates.[34] The *Plant Room* is not a utopian space of pure visuality like the White Cube, but a place in which Blossfeldt's plant pictures appear in an immense polyphony of traditions and conventions. In these "quotations without quotes", we read as much about Starling as we do about Blossfeldt.

1) Cf. the author's article: "Natur im Raster. Blossfeldt-Rezeption heute" in *Konstruktionen von Natur. Von Blossfeldt zur Virtualität*, ed. by Angela Lammert, Berlin: Akademie der Künste und Verlag der Kunst, Dresden, 2001, pp. 35–46.

2) For instance on the blurb of *Karl Blossfeldt: Arbeitscollagen*, München: Schirmer/Mosel, 2000. The introductory text by the author, "Blossfeldts Arbeitscollagen: Ein fotografisches Skizzenbuch" demonstrates the fact that this claim is a posthumous construction and relates them to Blossfeldt's exhibition history.

3) Hildebrandt Gurlitt, review of *Urformen der Kunst* in *Das Kunstblatt*, Weimar, No. 2, February 1929, p. 63.

4) Walter Benjamin, "Neues von Blumen" in *Die Literarische Welt*, No. 47, 23 November 1928.

5) Brian O'Doherty, "Inside the White Cube" (1976): www.societyofcontrol.com/whitecube/insidewc.htm

6) Brian O'Doherty, "The Gallery as Gesture" (1981), in *Inside the White Cube: The Ideology of the Gallery Space*, introduction by Thomas McEvilley, Berkley: University of California Press, 1999, p. 97.

7) Cf. Rosalind E. Krauss, "Grids" (1978) in *The Originality of the Avant-Garde and Other Modernist Myths*, Cambridge, Mass., 1985, pp. 9–22.

8) Brian O'Doherty, p. 97.

9) Andreas Haus describes three conventions that Blossfeldt was bound to and that Blossfeldt, at least in part, expanded, namely to include the ornamental artist, the sculptor and the photographer. See Andreas Haus, "Die fotografische Verlebendigung der Form bei Karl Blossfeldt" in *Konstruktionen von Natur*, pp. 89–100.

10) We owe the main burden of the work to Ann and Jürgen Wilde in Zülpich, who for decades have looked after the Karl Blossfeldt archive and have made it accessible to the public for many exhibitions and publications. Important insights into

chen (welche Sprache wäre nicht kulturell?), älteren und zeitgenössischen, die ihn in einer immensen Stereophonie ganz und gar durchqueren."[32] Diese Zitate sind, wie Barthes schreibt, nicht die Quellen des Texts, nicht der Ursprung, sondern sie sind „anonym, nicht mehr ausfindig zu machen, und dennoch ‚immer schon gelesen': Es sind Zitate ohne Anführungszeichen."[33] Starlings *Plant Room* mag in diesem Sinne Ökosystem, Treibhaus, Maschinen- oder Ausstellungsraum, Schrein oder Skulptur sein – zuallererst ist er ein diskursiver Raum, in dem alles und noch viel mehr anklingt, was in diesen Seiten erwähnt wird.[34] Der *Plant Room* ist kein utopischer Ort des reinen Sehens wie der White Cube, sondern ein Ort, an dem Blossfeldts Pflanzenbilder in einer immensen Polyphonie an Traditionen und Konventionen auftreten. In diesen „Zitaten ohne Anführungszeichen" lesen wir ebensoviel über Starling wie über Blossfeldt.

1) Siehe hierzu den Text der Autorin: „Natur im Raster. Blossfeldt-Rezeption heute", in *Konstruktionen von Natur. Von Blossfeldt zur Virtualität*, Hg. Angela Lammert, Berlin: Akademie der Künste und Verlag der Kunst, Dresden, 2001, S. 35–46.

2) Zum Beispiel im Klappentext von *Karl Blossfeldt: Arbeitscollagen,* München: Schirmer/Mosel, 2000. Der Einführungstext der Autorin „Karl Blossfeldts Arbeitscollagen: Ein fotografisches Skizzenbuch" zeigt diese Behauptung als posthume Konstruktion auf und bringt sie mit der Ausstellungsgeschichte Blossfeldts in Zusammenhang.

3) Hildebrandt Gurlitt, Besprechung von *Urformen der Kunst*, in *Das Kunstblatt*, Weimar, Heft 2, 2.1929, S. 63.

4) Walter Benjamin, „Neues von Blumen", in *Die Literarische Welt*, Nr. 47, 23.11.1928.

5) Brian O'Doherty, *In der weissen Zelle. Inside the White Cube* (1976), Hg. Wolfgang Kemp, Berlin: Merve Verlag, 1996, S. 9.

6) Ibid., S. 116.

7) Vgl. Rosalind E. Krauss, „Grids" (1978), in *The Originality of the Avant-Garde and Other Modernist Myths*, Cambridge, Mass., 1985, S. 9–22.

8) Brian O'Doherty, S. 116.

9) Andreas Haus beschreibt drei Konventionen, an die Blossfeldt gebunden war und die Blossfeldt zumindest teilweise erweitert hat, nämlich die des Ornamentkünstlers, des Bildhauers und des Fotografen. Siehe Andreas Haus, „Die fotografische Verlebendigung der Form bei Karl Blossfeldt", in *Konstruktionen von Natur*, S. 89–100.

10) Die Hauptarbeit ist Ann und Jürgen Wilde, Zülpich, zu verdanken, die seit Jahrzehnten das Karl Blossfeldt Archiv pflegen und in zahlreichen Ausstellungen und Publikationen der Öffentlichkeit zugänglich gemacht haben. Wichtige Erkenntnisse über Blossfeldts Tätigkeit an der Kunstgewerbeschule Berlin wurden anlässlich der Ausstellung *Karl Blossfeldt. Licht an der Grenze des Sichtbaren. Die Sammlung der Blossfeldt-Fotografien der Hochschule der Künste,* Berlin: Akademie der Künste, 1999, veröffentlicht. Das angegliederte Symposium erweiterte den Blickwinkel auf Blossfeldts Werk durch verschiedenste kunsthistorische und philosophische Positionen (Siehe *Konstruktionen von Natur*, 2001). Die Rezeption von *Urformen der Kunst* ist Thema der an der Princeton University entstehenden Dissertation der Autorin.

11) *Urformen der Kunst aus Pflanzenreich und fremden Welten*, Hg. Karl Blossfeldt-Archiv – Ann und Jürgen Wilde, Zülpich, und Aussereuropäische Kunst Dierking, Köln, 2004. Im Jahr darauf inszenierte das Rautenstrauch-Joest-Museum der Stadt Köln *Urformen*

Blossfeldt's activities at Berlin's School of Applied Arts were published on the occasion of the exhibition *Karl Blossfeldt. Licht an der Grenze des Sichtbaren. Die Sammlung der Blossfeldt-Fotografien der Hochschule der Künste,* Berlin: Akademie der Künste, 1999. The affiliated symposium widened our view of Blossfeldt's work by means of the most diverse art-historical and philosophical positions (see *Konstruktionen von Natur*, 2001). The reception of *Urformen der Kunst* is the subject of this author's dissertation-in-progress at Princeton University.

11) *Urformen der Kunst aus Pflanzenreich und fremden Welten*, ed. by the Karl Blossfeldt-Archiv – Ann und Jürgen Wilde, Zülpich, and Aussereuropäische Kunst Dierking, Cologne, 2004. In the following year the Rautenstrauch-Joest-Museum of the city of Cologne presented *Urformen der Kunst – Fotografien Karl Blossfeldts und aussereuropäische Kunst. Eine Ausstellung von 1926 in neuem Licht*, Rautenstrauch-Joest-Museum of the city of Cologne, 2005. The 2005 catalogue is a reprint of the publication that appeared on the occasion of the special show at Art Cologne.

12) This kind of retracing an exhibition is not comparable to Simon Starling's conceptual approach, who in 2007 in *Nachbau* at the Museum Folkwang Essen recreated exactly and spatially an exhibition of the inter-war years with photographs by Albert Renger-Patzsch, thus thematizing not only the collection history and museum architecture, but also the photographs. See Simon Starling, *Nachbau*, text by Bruno Haas, Essen: Museum Folkwang and Steidl, Göttingen, 2007.

13) *Uhu*, No. 9, June 1926.

14) Tillmann Schmitz, "Architektur der Pflanze" in *Illustrierte Reichsbanner Zeitung*, 31 July 1926.

15) *Die Wunder der Natur. Romanische Kapitelle, Alte Pflanzenbücher, Blossfeldts Fotografien*, ed. by Bernhard Mensch and Peter Pachnike, Ludwig Galerie Schloss Oberhausen, 2005 (exh. cat.).

16) Peter Pachnike, in *Die Wunder der Natur*, p. 7.

17) See, e.g., Ernst Haeckel, *Kunstformen der Natur*, Leipzig and Vienna: Bibliographisches Institut, 1904 (Reprint: Prestel-Verlag, Munich, 1998).

18) See André Malraux, *Les Voix du Silence*, 1951.

19) Julius Meier-Graefe, review of *Urformen der Kunst* in *Berliner Tageblatt*, 30 March 1929.

20) Ibid.

21) Adolf Loos, "Ornament und Verbrechen" (1908), in *Sämtliche Schriften*, Vol. 1, Vienna: Verlag Herold, 1962, pp. 6–88.

22) Peter Meyer, "Neue Pflanzen-Fotografien", in *Das Werk. Schweizer Monatsschrift für Architektur, freie Kunst, angewandte Kunst*, 1932, pp. 214–215.

23) *Prototypen. Bionik und der Blick auf die Natur*, Stiftung Brandenburger Tor, Berlin, 2008 (exh. cat.).

24) Raoul Francé, *Die Pflanze als Erfinder*, Stuttgart: Kosmos, 1920.

25) Jeffrey Herf, *Reactionary Modernism. Technology, Culture, and Politics in Weimar and the Third Reich*, Cambridge: Cambridge University Press, 1984.

26) The prints in *Plant Room* have been loaned from the collection of the University of the Arts, Berlin.

27) "Karl Blossfeldt", unpublished essay, 1929, Karl Blossfeldt Archiv, Ann und Jürgen Wilde, Zülpich.

28) The use of soil as a material has also an art-historical past, for instance, in Walter de Maria's *Earth Room* (1968) or Tom de Paor's *Turf House* (Venice Biennale, 2000).

29) Friedrich Wilhelm Seiwert und Stanislav Kubicki, "Urformen der Kunst", in *AbisZ. Organ der Gruppe Progressiver Künstler*, Köln, 3 December 1929.

der Kunst – Fotografien Karl Blossfeldts und aussereuropäische Kunst. Eine Ausstellung von 1926 in neuem Licht, Rautenstrauch-Joest-Museum der Stadt Köln, 2005. Der Katalog von 2005 ist eine Wiederauflage der Publikation, die 2004 anlässlich der Sonderschau an der Art Cologne entstand.

[12] Diese Art der Nachempfindung einer Ausstellung ist nicht zu vergleichen mit dem konzeptuellen Ansatz von Simon Starling, der 2007 in *Nachbau* im Museum Folkwang Essen eine Ausstellung der Zwischenkriegszeit anhand von fotografischen Aufnahmen von Albert Renger-Patzsch auch räumlich exakt nachbaute und so nicht nur die Sammlungsgeschichte und Museumsarchitektur thematisierte, sondern auch die Fotografie. Siehe Simon Starling, *Nachbau*, Text von Bruno Haas, Essen: Museum Folkwang und Steidl, Göttingen, 2007.

[13] *Uhu*, Heft 9, 6.1926.

[14] Tillmann Schmitz, „Architektur der Pflanze", in *Illustrierte Reichsbanner Zeitung*, 31.7.1926.

[15] *Die Wunder der Natur. Romanische Kapitelle, Alte Pflanzenbücher, Blossfeldts Fotografien*, Hg. Bernhard Mensch und Peter Pachnike, Ludwig Galerie Schloss Oberhausen, 2005 (Kat.).

[16] Peter Pachnike, in *Die Wunder der Natur*, S. 7.

[17] Siehe, z.B., Ernst Haeckel, *Kunstformen der Natur*, Leipzig und Wien: Bibliographisches Institut, 1904 (Neudruck: Prestel-Verlag, München, 1998).

[18] Vgl. André Malraux, *Les Voix du Silence*, 1951.

[19] Julius Meier-Graefe, Besprechung von *Urformen der Kunst*, in *Berliner Tageblatt*, 30.3.1929.

[20] Ibid.

[21] Adolf Loos, „Ornament und Verbrechen" (1908), in *Sämtliche Schriften*, Bd. 1, Wien: Verlag Herold, 1962, S. 276–288.

[22] Peter Meyer, „Neue Pflanzen-Fotografien", in *Das Werk. Schweizer Monatsschrift für Architektur, freie Kunst, angewandte Kunst*, 1932, S. 214–215.

[23] *Prototypen. Bionik und der Blick auf die Natur*, Stiftung Brandenburger Tor, Berlin, 2008 (Kat.).

[24] Raoul Francé, *Die Pflanze als Erfinder*, Stuttgart: Kosmos, 1920.

[25] Jeffrey Herf, *Reactionary Modernism. Technology, Culture, and Politics in Weimar and the Third Reich*, Cambridge: Cambridge University Press, 1984.

[26] Die Abzüge im *Plant Room* stammen aus der Sammlung der heutigen Universität der Künste, Berlin.

[27] „Karl Blossfeldt", unveröff. Aufsatz, 1929, Karl Blossfeldt Archiv, Ann und Jürgen Wilde, Zülpich.

[28] Das Material Erde ist natürlich auch kunsthistorisch vorbelastet, zum Beispiel durch Walter de Marias *Earth Room* (1968) oder Tom de Paors *Turf House* (Biennale Venedig, 2000).

[29] Friedrich Wilhelm Seiwert und Stanislav Kubicki, „Urformen der Kunst", in *AbisZ. Organ der Gruppe Progressiver Künstler*, Köln, 3.12.1929.

[30] Georges Bataille, „Le Langage des Fleurs" in *Documents*, Jg.1, 1929, Nr. 2, S. 160–168. Übersetzung in *Elan Vital oder Das Auge des Eros*, München: Haus der Kunst, 1994, S. 495–498.

[31] Brian O'Doherty, S. 103–104.

[32] Roland Barthes, „Vom Werk zum Text" (1971), in *Kunsttheorie im 20. Jahrhundert*, Band 2, Ostfildern-Ruit: Hatje, 1998, S. 1164.

[33] Ibid.

[34] Siehe Rosalind E. Krauss, „Die diskursiven Räume der Photographie" (1982), in *Das Photographische: eine Theorie der Abstände*, München: Fink, 1998, S. 40–58.

[30] Georges Bataille, *Visions of Excess. Selected Writings*, 1927-1939, Minneapolis: Univ. of Minnesota Press, 1985, p 13.

[31] Brian O'Doherty, p. 90.

[32] Roland Barthes, "From Work to Text" (1971) in *Image – Music – Text*, essays selected and translated by Stephan Heath, New York: Hill and Wang, 1977, 159–160 (translation adapted by the author).

[33] Ibid.

[34] See Rosalind E. Krauss, "Photography's Discursive Spaces", in *College Art Journal*, vol. 42, Winter 1982.

Ulrike Meyer Stump
Dozentin für Geschichte und Theorie der Fotografie an der Zürcher Hochschule der Künste ZHdK. Promoviert an der Princeton University über Karl Blossfeldts *Urformen der Kunst* / Teaches History and Theory of Photography at the Zurich University of the Arts, while completing her Ph.D. dissertation on Karl Blossfeldt's *Art Forms in Nature* at Princeton University. Publikationen zu / publications on Blossfeldt: „Models of a Hidden Geometry of Nature: Karl Blossfeldt's ‚Meurer-Bronzes'." In *A Natural History of Architecture: Herzog & de Meuron on the Boundaries of Art.* Montreal: Canadian Centre for Architecture and Verlag Lars Müller, Baden, 2002. (Also published in German and French). „Natur im Raster: Blossfeldt-Rezeption heute." In *Konstruktionen von Natur.* Berlin: Akademie der Künste Berlin and Verlag der Kunst, 2001. *Karl Blossfeldt: Working Collages.* Cambridge, MA.: MIT Press, 2000. German edition: *Karl Blossfeldt: Arbeitscollagen.* Munich: Schirmer/Mosel Verlag, 2000.

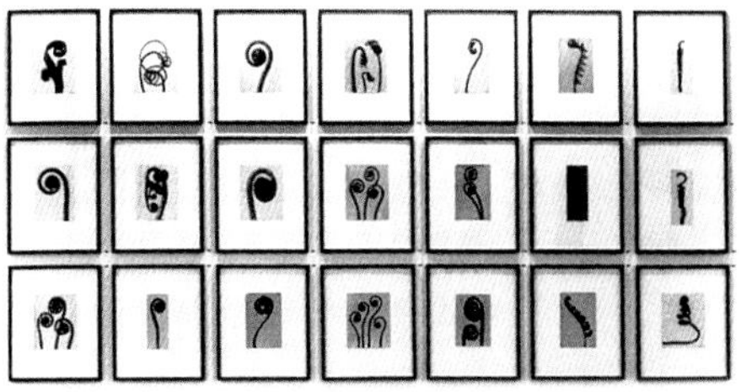

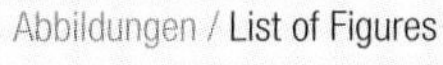

Abb. 1

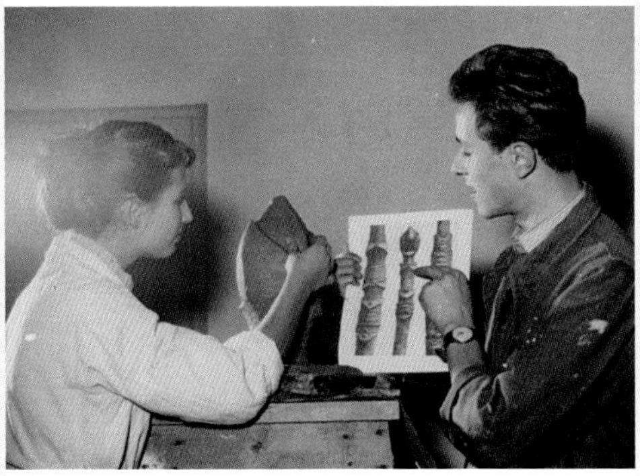

Abb. 2

Abb. 3

Abb. 4

Abb. 5

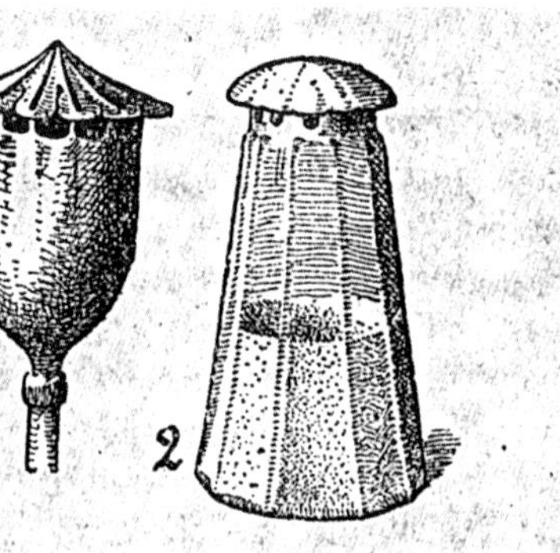

Abb. 6

Abbildungen / List of Figures

1) Ausstellungsansicht, *Karl Blossfeldt. Licht an der Grenze des Sichtbaren. Die Sammlung der Blossfeldt-Fotografien der Hochschule der Künste,* Berlin: Akademie der Künste, 1999. Aus: *Konstruktionen von Natur. Von Blossfeldt zur Virtualität*, Hg. Angela Lammert, Berlin: Akademie der Künste und Verlag der Kunst, Dresden, 2001, S. 105 (Foto: Roman März).

2) Foto der Blossfeldt-Klasse, 12,7 x 17,8 cm. UdK Archiv, Berlin. Aus: *Konstruktionen von Natur*, S. 31.

3) Abb. 6 aus *Urformen der Kunst – Fotografien Karl Blossfeldts und aussereuropäische Kunst. Eine Ausstellung von 1926 in neuem Licht*, Rautenstrauch-Joest-Museum der Stadt Köln, 2005 (ein Vergleich von Karl Blossfeldt, *Hosta subcordata, Trichterlilie*, 4x vergr., 29,1 x 12 cm, und *Weibliche Figur*, Songye, Demokratische Republik Kongo, Anfang 20. Jhd., Holz, Metall, Horn, Federn, Glas, Schlangenhaut, Höhe 86 cm, Ankauf 1966: Klaus Clausmeyer, Düsseldorf, RJM 49007).

4) Vergleich Karl Blossfeldt, *Schachtelhalm, Equisetum*, 10x vergr., und *Mameluckengrab*, 14. Jhd., Kairo, Abb. aus: Robert Breuer, „Grüne Architektur", in *Uhu*, Heft 9, 6.1929.

5) Vergleich Johann Wilhelm Weinmann, *Phytanthoza iconographica, Passiflora spec., Passionsblume*, Regensburg, 1737–1745, Staatsbibliothek Bamberg, und Karl Blossfeldt, *Passiflora, Passionsblume*, 30 x 24 cm, 4x vergr., Slg. Ann und Jürgen Wilde, Zülpich. Abb. 32 und 33 aus *Die Wunder der Natur. Romanische Kapitelle, Alte Pflanzenbücher, Blossfeldts Fotografien*, Hg. Bernhard Mensch und Peter Pachnike, Ludwig Galerie Schloss Oberhausen, 2005, S. 68–69.

6) „Eine biotechnische Erfindung und ihr Vorbild. Der neue Streuer für Haushalt und mediz. Zwecke RGM Nr. 723730 (2) und ein reifer Mohnkopf (1), der seinen Inhalt ebenso organisch ausstreut." Abb. 1 aus Raul Francé, *Die Pflanze als Erfinder*, Stuttgart: Kosmos, 1920, S. 8.

1) View of the exhibition, *Karl Blossfeldt. Licht an der Grenze des Sichtbaren. Die Sammlung der Blossfeldt-Fotografien der Hochschule der Künste,* Berlin: Academy of the Arts, 1999. From: *Konstruktionen von Natur. Von Blossfeldt zur Virtualität*, ed. by Angela Lammert, Berlin: Akademie der Künste and Verlag der Kunst, Dresden, 2001, p. 105 (photo: Roman März).

2) Photo of the Blossfeldt class, 12.7 x 17.8 cm. UdK Archiv, Berlin. From: *Konstruktionen von Natur*, p. 31.

3) Fig. 6 from *Urformen der Kunst – Fotografien Karl Blossfeldts und aussereuropäische Kunst. Eine Ausstellung von 1926 in neuem Licht*, Rautenstrauch-Joest-Museum, Cologne, 2005 (a comparison of Karl Blossfeldt, *Hosta subcordata, Trichterlilie*, 4-fold enlargement, 29.1 x 12 cm, and *Female Figure*, Songye, Democratic Republic of the Congo, beginning 20th cent., wood, metal, horn, feathers, glass, snakeskin, 86 cm high, purchased 1966: Klaus Clausmeyer, Düsseldorf, RJM 49007.

4) Comparison of Karl Blossfeldt, *Schachtelhalm, Equisetum*, 10-fold enlargement and *Mameluke tomb*, 14th cent., Cairo, ill. from: Robert Breuer, "Grüne Architektur", in *Uhu*, No. 9, June 1929.

5) Comparison of Johann Wilhelm Weinmann, *Phytanthoza iconographica, Passiflora spec., Passionsblume*, Regensburg, 1737–1745, Staatsbibliothek Bamberg, and Karl Blossfeldt, *Passiflora, Passionsblume*, 30 x 24 cm, 4-fold enlargement, coll. Ann und Jürgen Wilde, Zülpich. Figs. 32 and 33 from *Die Wunder der Natur. Romanische Kapitelle, Alte Pflanzenbücher, Blossfeldts Fotografien*, ed. by Bernhard Mensch and Peter Pachnike, Ludwig Galerie Schloss Oberhausen, 2005, pp. 68–69.

6) "Eine biotechnische Erfindung und ihr Vorbild. Der neue Streuer für Haushalt und mediz. Zwecke RGM Nr. 723730 (2) und ein reifer Mohnkopf (1), der seinen Inhalt ebenso organisch ausstreut." Fig. 1 from Raul Francé, *Die Pflanze als Erfinder*, Stuttgart: Kosmos, 1920, p. 8.

CLAYTEC
CLAYTEC
CLAYTEC

SIMON STARLING

Geboren / Born

1967 in Epsom, Vereinigtes Königreich / in Epsom, United Kingdom

Lebt und arbeitet in Kopenhagen, Dänemark.
Lives and works in Copenhagen, Denmark.

Einzelausstellungen / Solo Exhibitions (Auswahl / Selection)

2008 *Cuttings (Supplement)*, Power Plant, Toronto, CDN
Galleria Franco Noero, Torino, I
2007 *Simon Starling – Nachbau*, Museum Folkwang, Essen, D
László Moholy-Nagy & Simon Starling, Presentation House Gallery, Vancouver, CDN
2006 Heidelberger Kunstverein, Heidelberg, D
Wilhelm Noack oHG, neugerriemschneider, Berlin, D
2005 *Cuttings*, Museum für Gegenwartskunst, Basel, CH
2004 *Tabernas Desert Run*, The Modern Institute, Glasgow, UK
Casey Kaplan, New York, USA
2003 Museo d'Arte Contemporanea, Roma, I
Villa Arson, Nice, F
2002 Museum of Contemporary Art (mit / with Mathew Jones), Sydney, AUS
The Hammer Museum, Los Angeles, USA
Kakteenhaus, Portikus, Frankfurt am Main, D
Djungel, Dundee Contemporary Arts, Dundee, UK
2001 Cooper Gallery, University of Dundee (mit / with Poul Henningsen), Dundee, UK
Inverted Retrograde Theme, Rescued Rhododendron, Secession, Wien, A
2000 *Metod 1: Simon Starling*, Signal, Malmö, S
Serralves Foundation, Porto, P

Gruppenausstellungen / Group Exhibitions (Auswahl / Selection)

2008 *P2P*, Casino Luxembourg – Forum d'Art Contemporain, Luxembourg, L
Of This Tale, I Cannot Guarantee A Single Word, Royal College of Art, London, UK
2007 *Wenn Handlungen Form werden. Ein neuer Realismus in der Kunst seit den fünfziger Jahren*, Neues Museum Nürnberg, Nürnberg, D
Biennale d'Art Contemporain de Lyon, Lyon, F
Des Mondes Perdus, CAPC, Musée d'Art Contemporain de Bordeaux, Bordeaux, F
Made in Germany, Kestnergesellschaft, Hannover, D
Moscow Biennale of Contemporary Art, Moskau, RUS
2006 Busan Biennale, Busan, KOR
Städtisches Museum Abteiberg, Mönchengladbach, D
The Showroom, London, UK
2005 *36 x 27 x 10*, White Cube Berlin im ehemaligen Palast der Republik, Berlin, D
Lichtkunst aus Kunstlicht, ZKM, Museum für Neue Kunst, Karlsruhe, D
Mouvement Des Deux Côtés Du Rhin, Museum Ludwig, Köln / *Ambiance Des Deux Côtés Du Rhin*, K21 Kunstsammlung NRW, Düsseldorf, D
Turner Prize 200, Tate Britain, London, UK
The Museum of Contemporary Art, Chicago, USA
2004 Bienal de Sao Paulo, Sao Paulo, BR
Kröller Müller Museum Park, Otterlo, NL
2003 Galleria Franco Noero, Torino, I
Zenomap. New works from Scotland for the Venice Biennale, 50. Biennale di Venezia, Venezia, I
Global Navigation System, Palais de Tokyo, Paris, F
I Moderni. The Moderns, Castello di Rivoli, Torino, I
2002 *Der globale Komplex – Continental Drift*, Grazer Kunstverein, Graz, A
Exchange & Transform, Kunstverein München, München, D
2001 *Der Larsen Effekt – Prozesshafte Resonanzen in der zeitgenössischen Kunst*, O.K. Centrum für Gegenwartskunst, Linz, A / Casino Luxembourg, L
Witte de With, Center for Contemporary Art, Rotterdam, NL

Biografie und Bibliografie

Biography and Bibliography

2000 Manifesta 3. European Biennal of Contemporary Art, Ljubljana, SLO
Artifice, Deste Foundation, Athina, GR
What If, Moderna Museet, Stockholm, S
Micropolitiques, Le Magasin, Grenoble, F

Bibliografie / Bibliography (Auswahl / Selection)

2008 Ausst. Kat., *Simon Starling. Cuttings [Supplement]*, The Power Plant, Toronto, CAN

2007 Ausst. Kat., Moscow Biennale of Contemporary Art, Moskau, Russland
Ausst. Kat., *Simon Starling – Nachbau*, Museum Folkwang, Essen, D

2006 Szymczyk, Adam, „Projections“, *Le Temps*, 30.12.06, S. 44
Ausst. Kat., *Strange I've Seen That Face Before*, Städtisches Museum Abteiberg, Mönchengladbach, D
Ausst. Kat., *24 hr. Tangenziale*, Galleria Franco Noero, Turin, I

2005 Ausst. Kat., *universal experience. Art, Life and the Tourist's Eye*, The Museum of Contemporary Art, Chicago 2005
Reust, Hans Rudolf, „Simon Starling. Museum für Gegenwartskunst“, *Artforum International*, Oktober 2005, S. 285–286
Ausst. Kat., *Simon Starling. Cuttings*, Kunstmuseum Basel, Museum für Gegenwart, CH

2004 Godfrey, Mark, „Image Structure“, *Artforum International*, Februar 2005, S.146–153
Ausst. Kat., Starling, Simon & Manacorda, Francesco, *Simon Starling*, Villa Arson, Nice / Städtische Ausstellungshalle am Haverkamp, Münster, 2004
Birnbaum, Daniel, „Transporting Visions“, *Artforum*, Februar 2004, S. 104–109

2003 Ausst. Kat., Barak, Ami, Gegeben sei: „Die Leuchtlampe“, in: *Skulptur Biennale Münsterland*, Münster, modo Verlag, 2003
Selvaratnam, Troy, „The Starling Variations“, *Parkett*, Nr. 67, 2003, S. 6–14
Ausst. Kat., Stange, Raimar; Perrella, Cristiana; Maraniello, Gianfranco, *Simon Starling*, Museo d'Arte Contemporanea Roma, Hrsg. Mondadori Electa, 2003

2002 Ausst. Kat., Storer, Russell; Bretton-Meyer, Henriette, *Jones / Starling*, Museum of Contemporary Art, Sydney, 2003
Ausst. Kat., Volz, Jochen, *Kakteenhaus*, Portikus, Frankfurt am Main, 2002
Ausst. Kat., Schöne, Veronika, *Zusammenhänge herstellen*, Kunstverein in Hamburg, 2002

2001 Ausst. Kat., MacKenna, Deirdre; Tufnell, Rob; Starling, Simon; *Poul Henningsen. Simon Starling*, Cooper Gallery, University of Dundee, Dundee, 2001
Ausst. Kat., Millar, Jeremy, *Inverted Retrograde Theme*; Wiener Secession, Wien, 2001

2000 Ausst. Kat., Engberg, Juliana, *Simon Starling*, Camden Arts Center London, London 2000
Meyric Hughes, Henry, „Manifesta“; *tema celeste-Contemporary Art Magazine*; Oktober–Dezember 2000, S.102–103

1999 Shepheard, Paul; „Edgeless, Modeless, Context“, *Afterall*, Nr.1, London, S. 101–104
Esche, Charles, „Undomesticating Modernism“, *Afterall*, Nr. 1, S. 90–100
Ausst. Kat., Bradley, Will, *Project for a Modern Museum*, Moderna Museet, Stockholm
Ausst. Kat., Esche, Charles; Starling, Simon; Stefanie Sembill; Winkelmann, Jan, *Simon Starling*, Galerie für Zeitgenössische Kunst, Leipzig

1998 Ausst. Kat., Sachs, Hinrich, *Double Narrative (after Robert Smithson)*, The Modern Institute, Glasgow
Ausst. Kat., *Reconstructions*, Smart Project Space, Amsterdam

1997 Ausst. Kat., Loock, Ulrich, *Transference*, Glasgow / Kunsthalle Bern
Ausst. Kat., McKee, Francis, *Blue Boat Black*, Transmission Gallery, UK

Impressum

About this Publication

kunstraum dornbirn

Dokumentation zur Ausstellung
Documentation of the Exhibition

Simon Starling
Plant Room

Kunstraum Dornbirn
27. Juni – 15. August 2008

Ausstellung: Montagehalle, Jahngasse 9
Büro: Realschulstraße 6/3, A-6850 Dornbirn
Tel 0043-(0)5572-55044, Fax 0043-(0)5572-55044 4838
kunstraum@dornbirn.at, www.kunstraumdornbirn.at

Kuratorin der Ausstellung / Curator of the Exhibition:
Bärbel Vischer
Präsident / President: Ekkehard Bechtold
Leitung / Direction: Hans Dünser
Pressearbeit / Public Relations: Caroline Begle
Sekretariat / Secretariat: Karin Dünser
Videodokumentation / Video Documentation: Klemens Röck
Produktion und Bauleitung / Production and Construction
Management: Hans Dünser

Herausgeber / Editor: Kunstraum Dornbirn, Bärbel Vischer
Gestaltung / Graphic Design:
Flax, Jutz, Mätzler Agentur für Kommunikation
Redaktion / Editing: Bärbel Vischer, Hans Dünser
Lektorat / Proof Reading: Verlag für moderne Kunst Nürnberg
Texte / Texts: Bärbel Vischer, Ulrike Meyer Stump
Übersetzung / Translation: Jeanne Haunschild Contemporary
Art Translation, Bonn

Fotonachweis / Photo Credits:
© Adolf Bereuter, A-6923 Lauterach / Hans Dünser /
Universität der Künste Berlin, Universitätsarchiv

Abbildungen S. 20 (von links oben nach rechts unten) /
List of figures p. 20 (from top left to bottom right):
Fraxinus excelsior. Esche / Ash (8-fache Vergrößerung /
8-fold enlargement), o.D., 29,8 x 23,8 cm, Nr. 46
Asclepias speciosa. Seidenpflanze, o.D., 30 x 23,9 cm, Nr. 357
Frucht von Abutilon (Malevenart) / Fruit of the Abutilon (The
Mallow Family). Lindenmalve, o.D., 29,8 x 23,8 cm, Nr. 379
Ohne Bezeichnung / Unnamed, o.D., 29,9 x 11,2 cm, Nr. 404
Ohne Bezeichnung / Unnamed, o.D., 29,8 x 23,8 cm, Nr. 344
Ohne Bezeichnung / Unnamed, o.D., 29,7 x 23,8 cm, Nr. 48
Schachtelhalm / Horsetail, o.D., 30,2 x 11,8 cm, Nr. 401
Equisetum hyemale. Winterschachtelhalm / Winter Horsetail,
o.D., 30 x 23,4 cm, Nr. 103
Vintage Prints: Sammlung Karl Blossfeldt, Universitätsarchiv,
Universität der Künste Berlin / Vintage Prints: Karl Blossfeldt
Collection, University Archive, Berlin University of the Arts

Schrift / Typeface: Helvetica Condensed Light/Medium
Papier / Paper: Euroart seidenmatt 170/300 g/qm
Druck / Print: Bucher Druck und Verlag, A-6845 Hohenems
Auflage / Edition: 800 Exemplare / Copies

Printed in Austria

ISBN 978-3-940748-75-1

Bibliografische Information Der Deutschen Bibliothek
Die Deutsche Bibliothek verzeichnet diese Publikation in der
Deutschen Nationalbibliografie; detaillierte bibliografische
Daten sind im Internet über http://dnb.ddb.de abrufbar.

Bibliographic Information published by Die Deutsche Bibliothek
Die Deutsche Bibliothek lists this publication in the Deutsche
Nationalbibliografie; detailed bibliographic data is available in the
Internet at http://dnb.ddb.de

Distributed outside Europe
D.A.P. / Distributed Art Publishers, Inc.
155 Sixth Avenue, 2nd Floor, New York, NY 100
phone 001 - (0)212 - 627 19 99, fax 001 - (0)212 - 627 94 84

Distributed in the United Kingdom
Cornerhouse Publications
70 Oxford Street, Manchester M 1 5 NH, UK
phone 0044 - (0)161 - 200 15 03, fax 0044 - (0)161 - 200 15 04

Dank an die Autorinnen und Leihgeber / Our thanks to the
authors and lenders: Bärbel Vischer, Wien; Ulrike Meyer Stump,
Kilchberg CH; Universität der Künste Berlin, Universitätsarchiv;
neugerriemschneider, Berlin

Mit freundlicher Unterstützung / Thanks to: des Hauptsponsors
des Kunstraum Dornbirn, der Dornbirner Sparkasse Bank AG

Lehm Ton Erde, Martin Rauch, Schlins / Axima Kältetechnik,
Frank Gmeinder und Andi Dünser, Lauterach / Werkhof der
Stadt Dornbirn, Reinhard Böhler, Christian Mair /
Claytech, Partner im Lehmbau, Viersen / Lerch Lehmputz,
Markus Lerch, Dornbirn / Mohrenbräu, Dornbirn

der Subventionsgeber
Stadt Dornbirn, Land Vorarlberg und
Republik Österreich – Bundeskanzleramt – Sektion Kunst

neugerriemschneider, Tim Neuger und Elisa Marchini, Berlin;
Universität der Künste Berlin, Universitätsarchiv;
Dr. Dietmar Schenk